NATIONAL GEOGRAPHIC

I Help My Dad

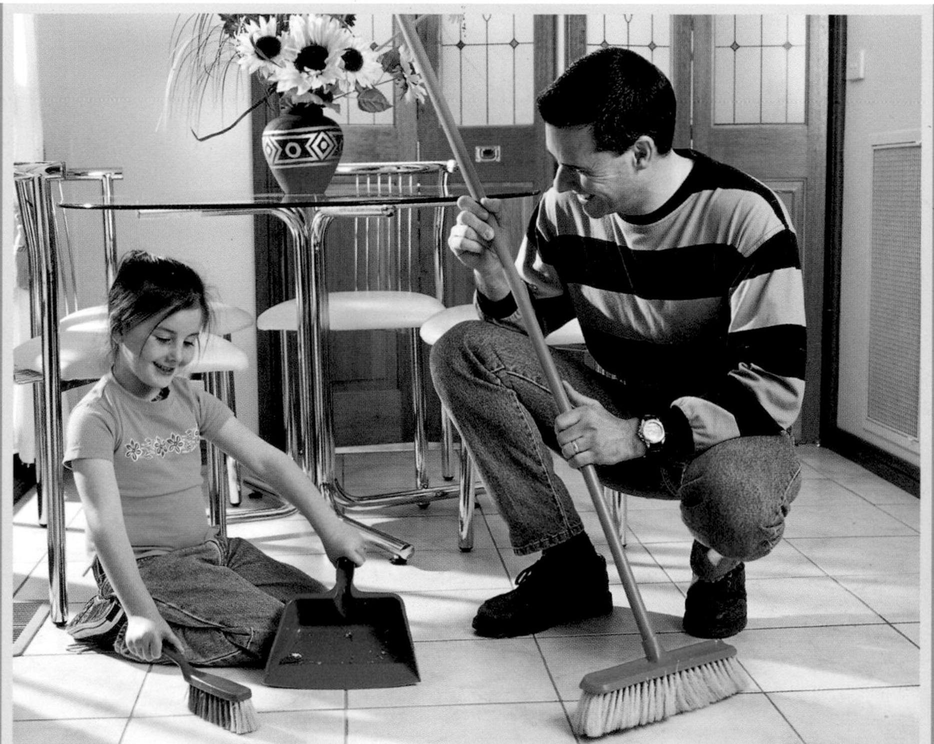

Zoe Sharp

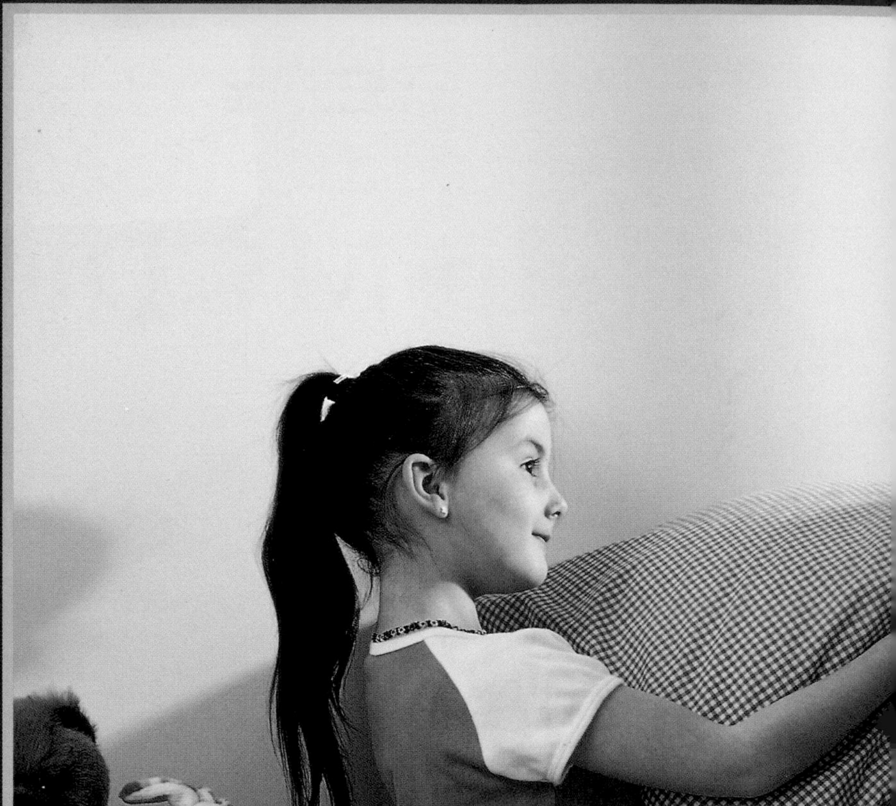

I help my dad.

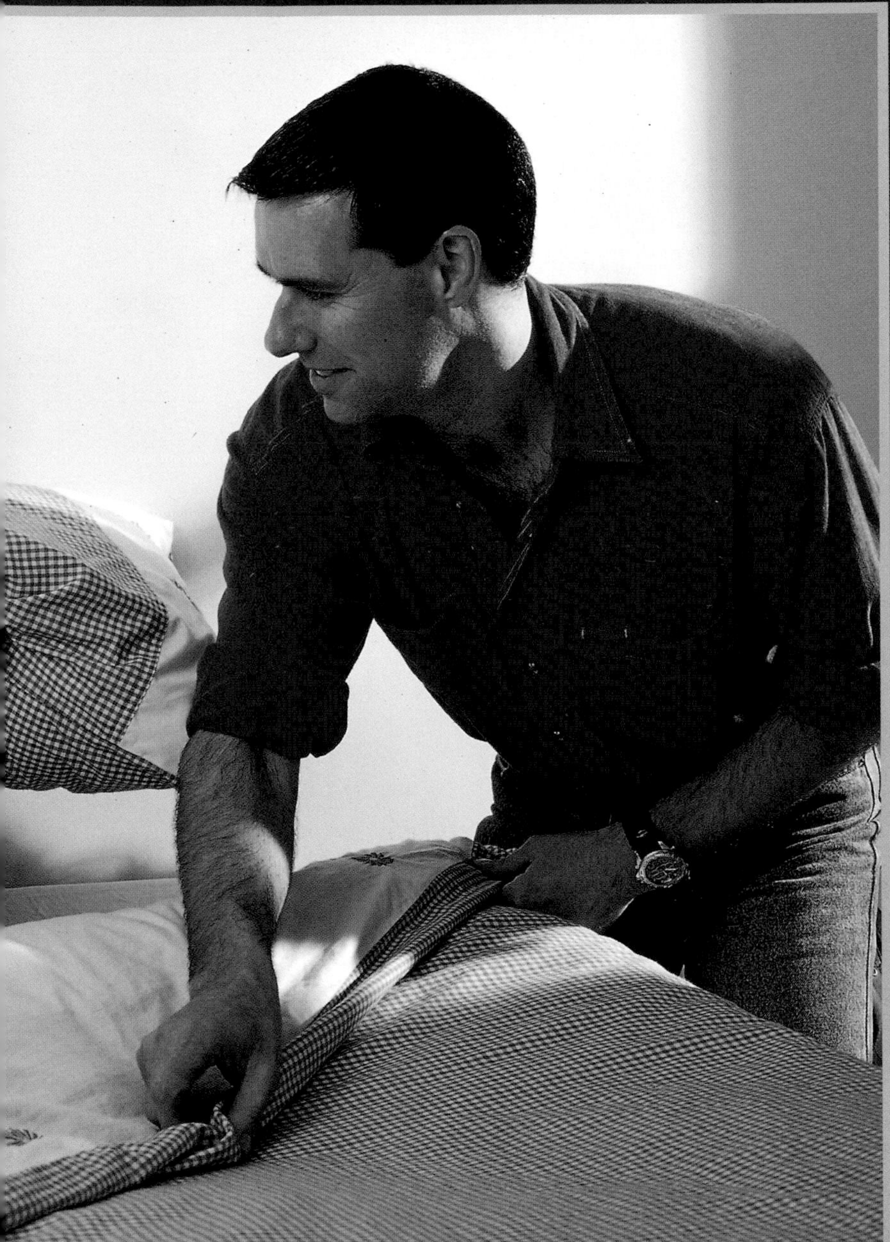

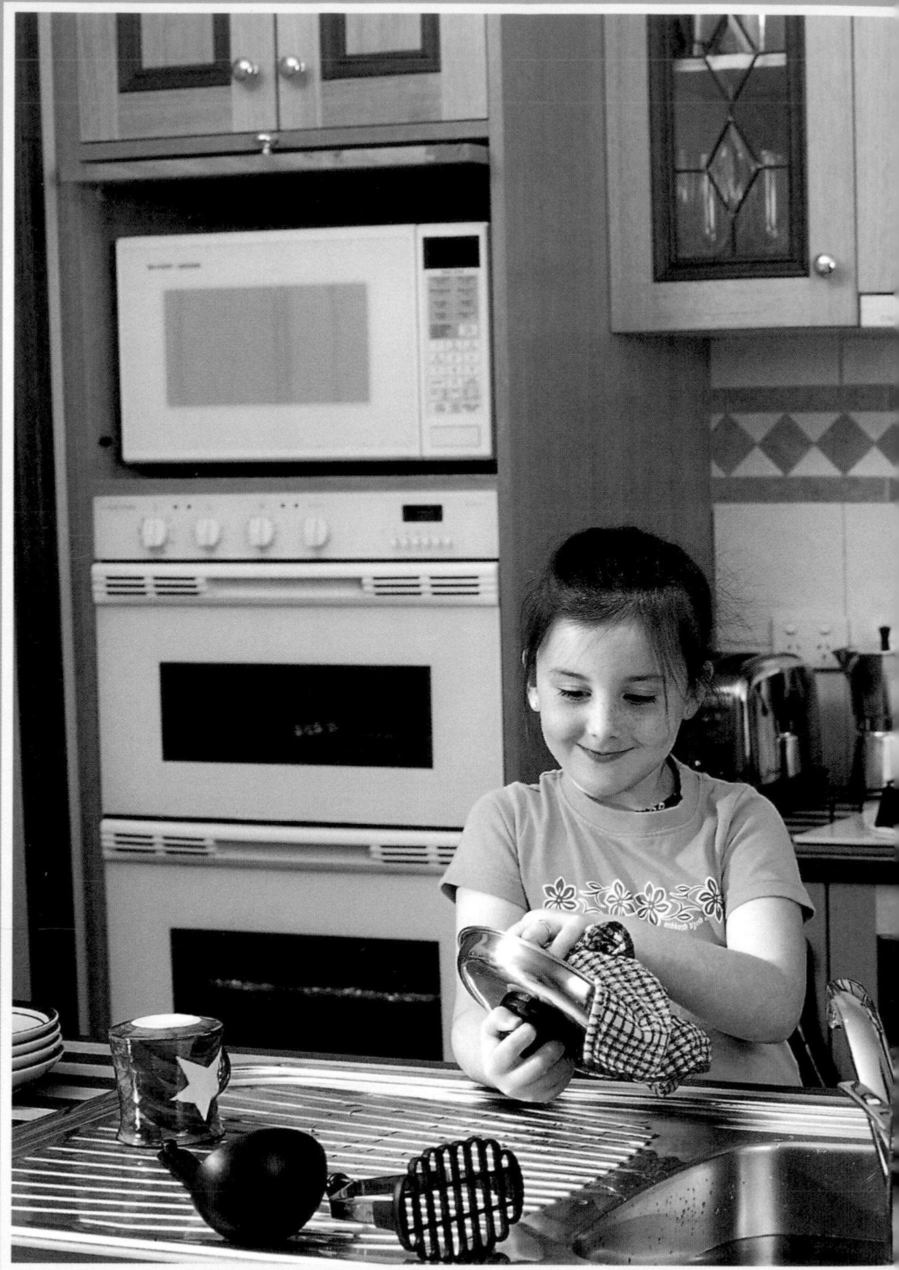

I help my dad.

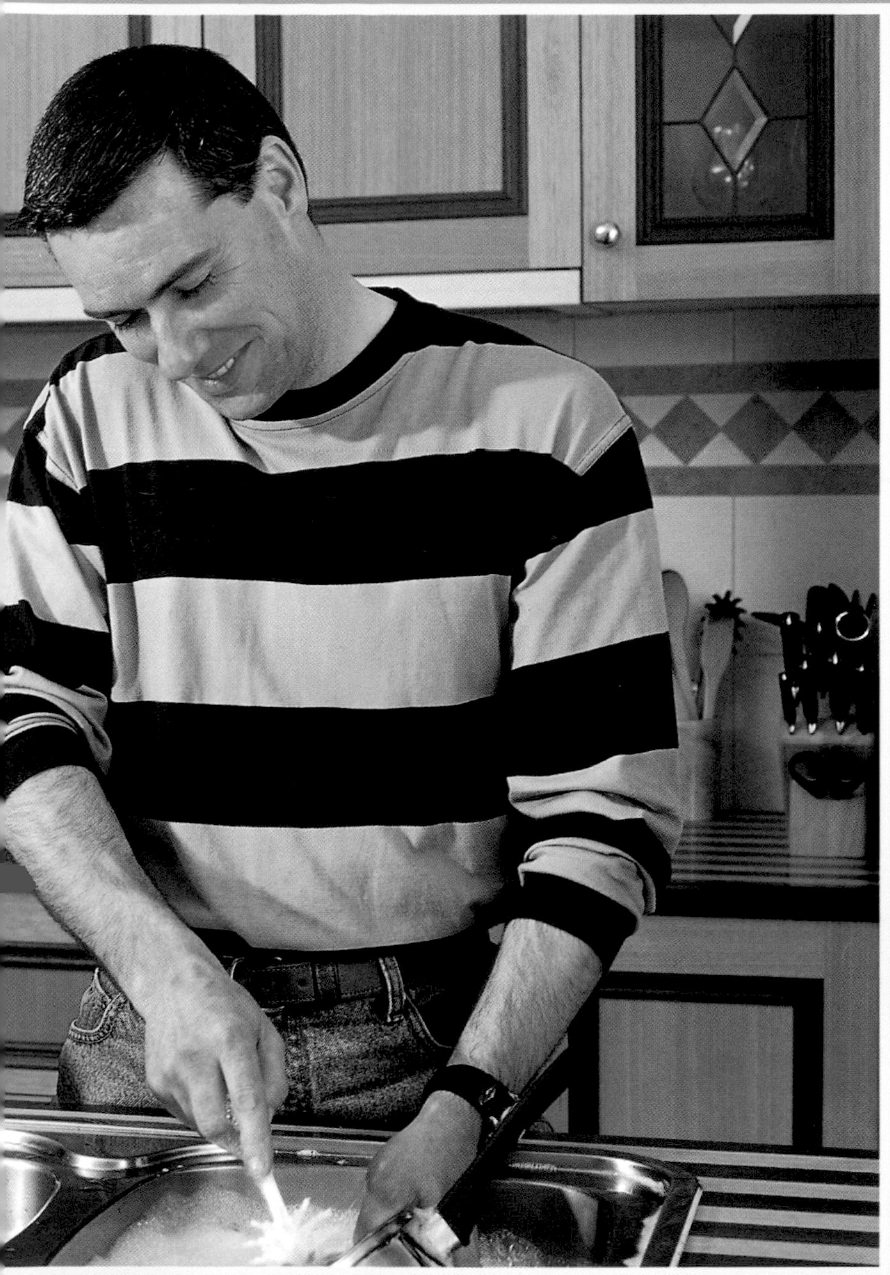

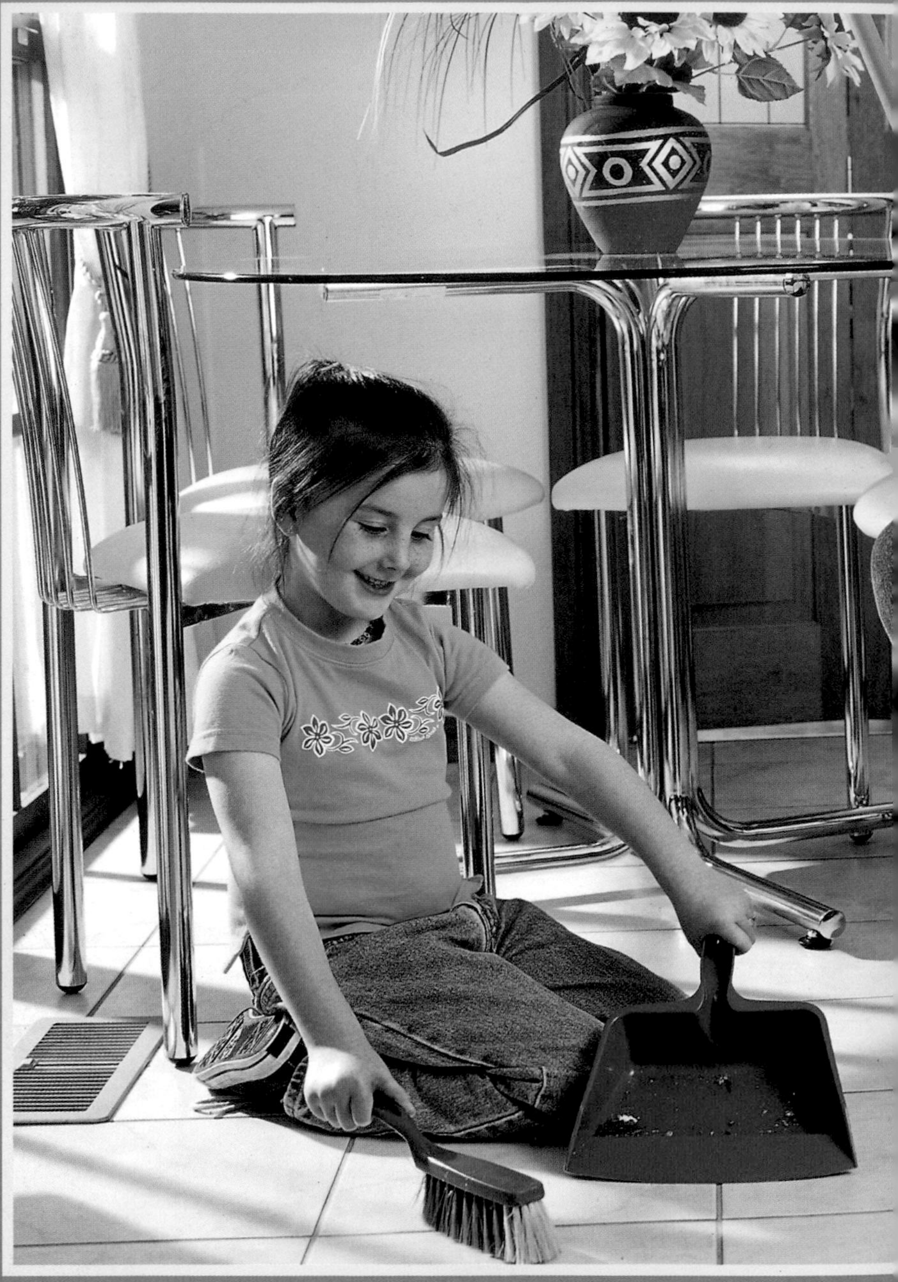

I help my dad.

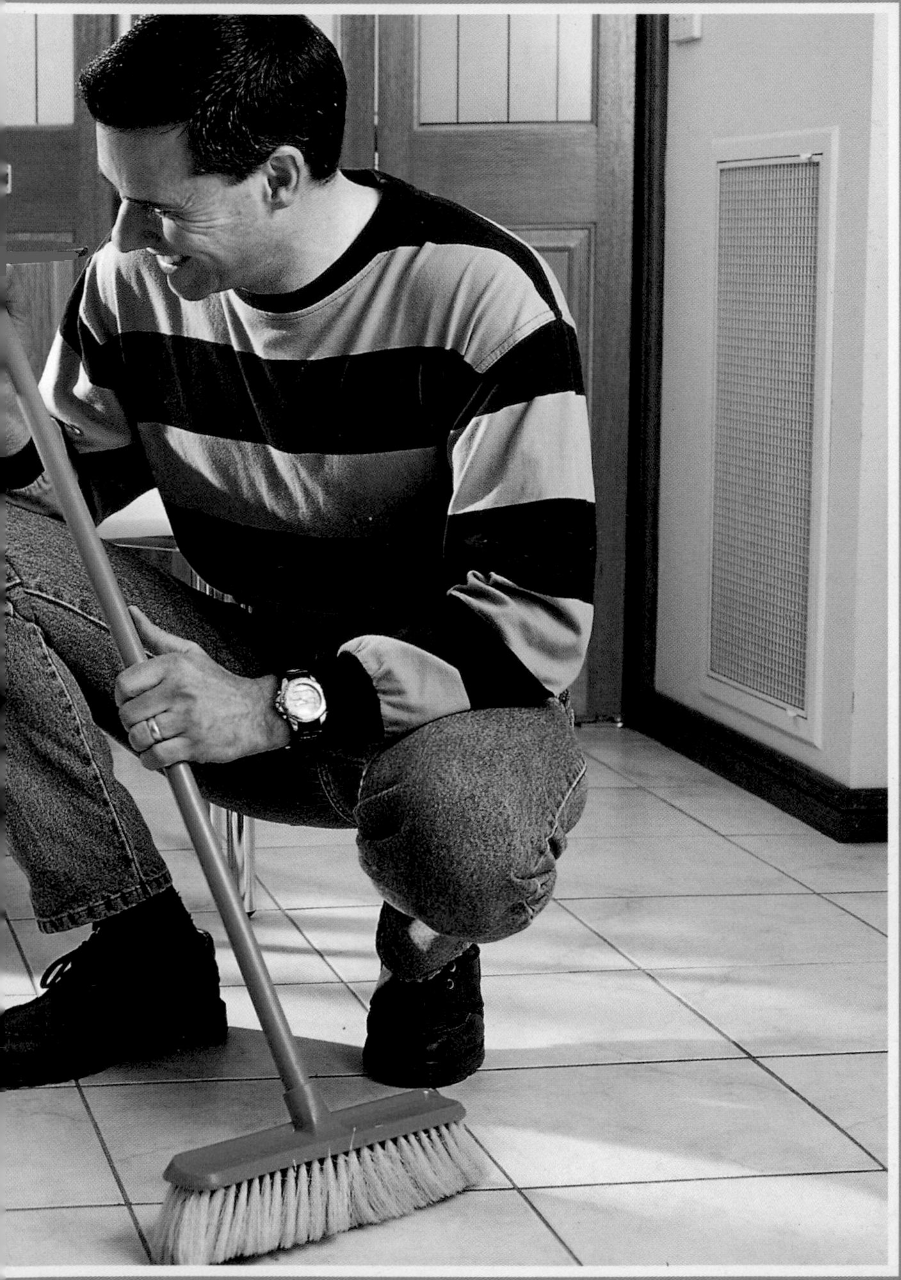

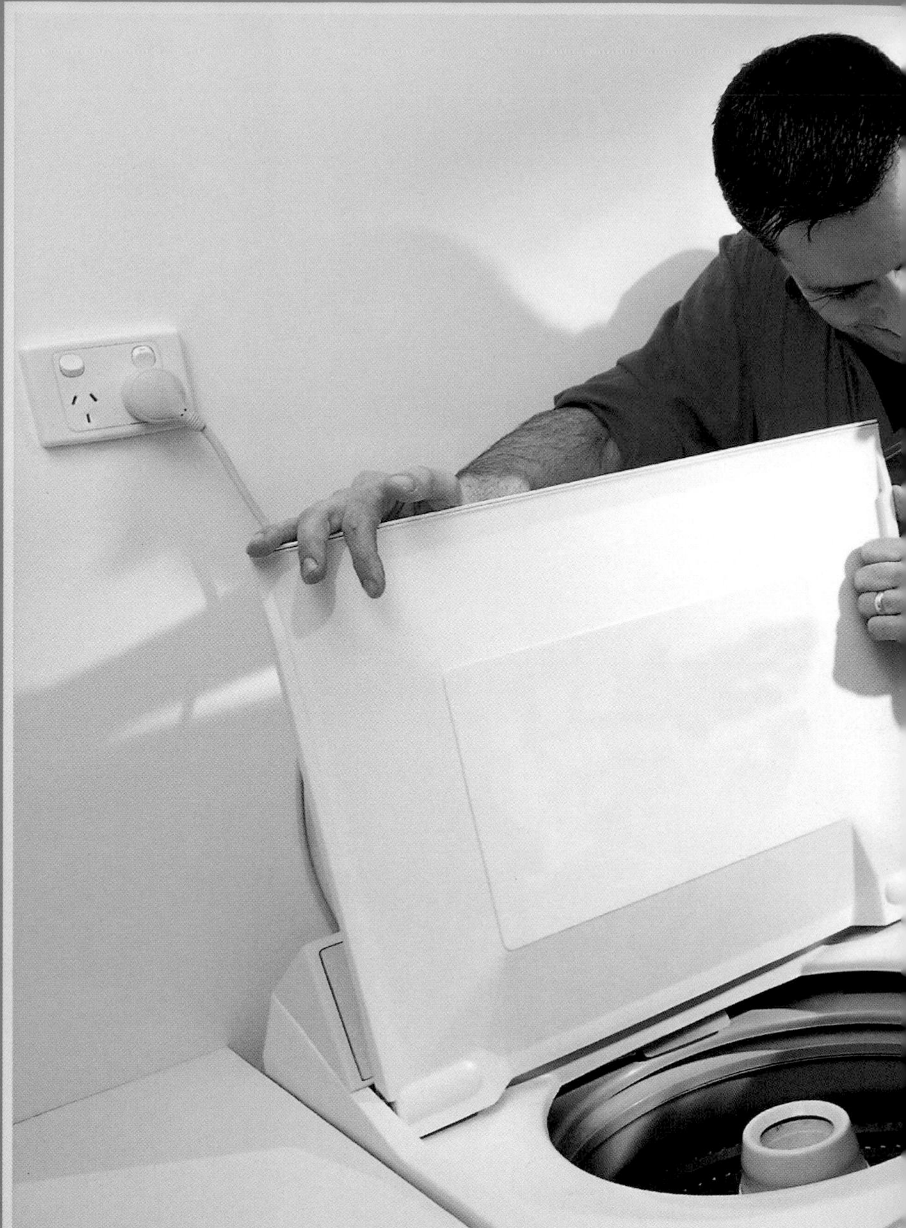

I help my dad.

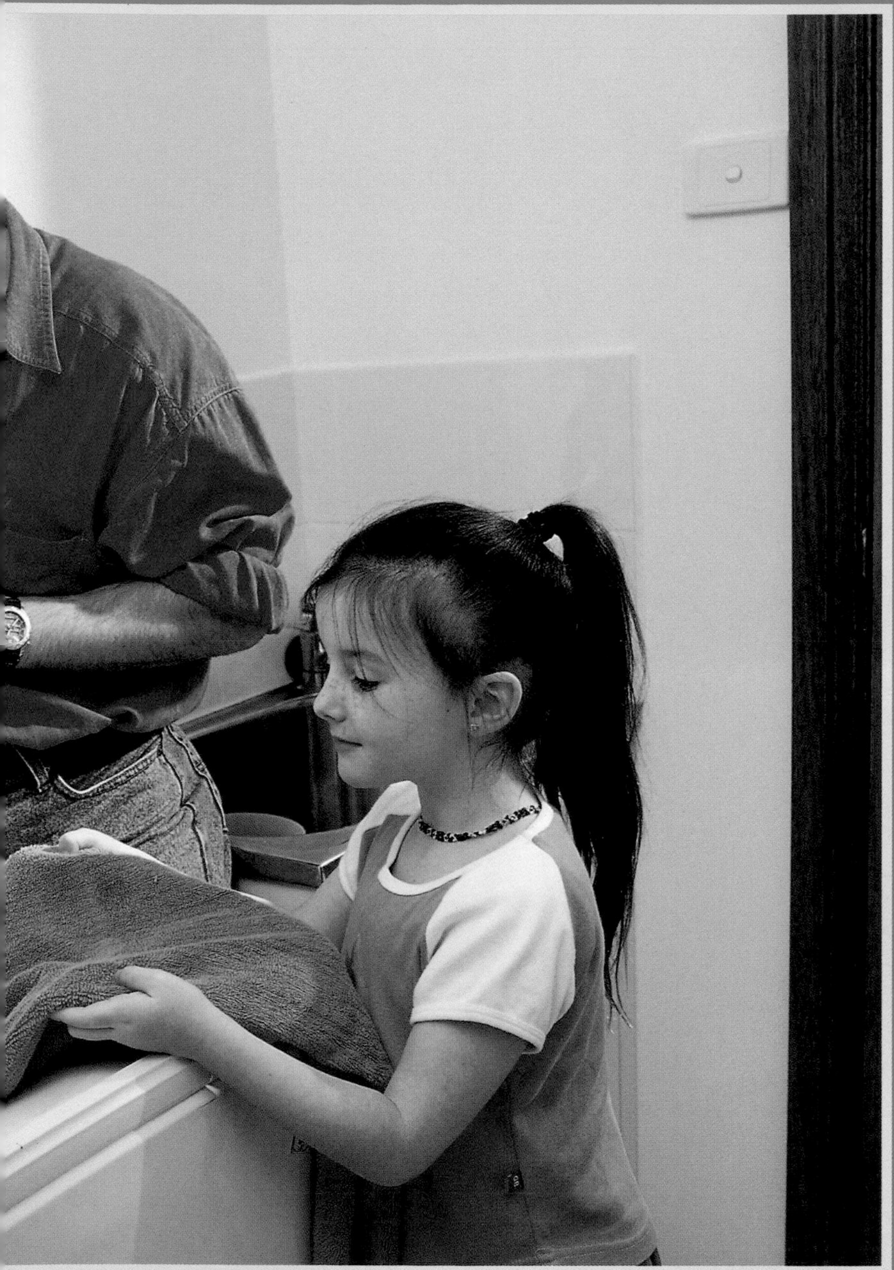

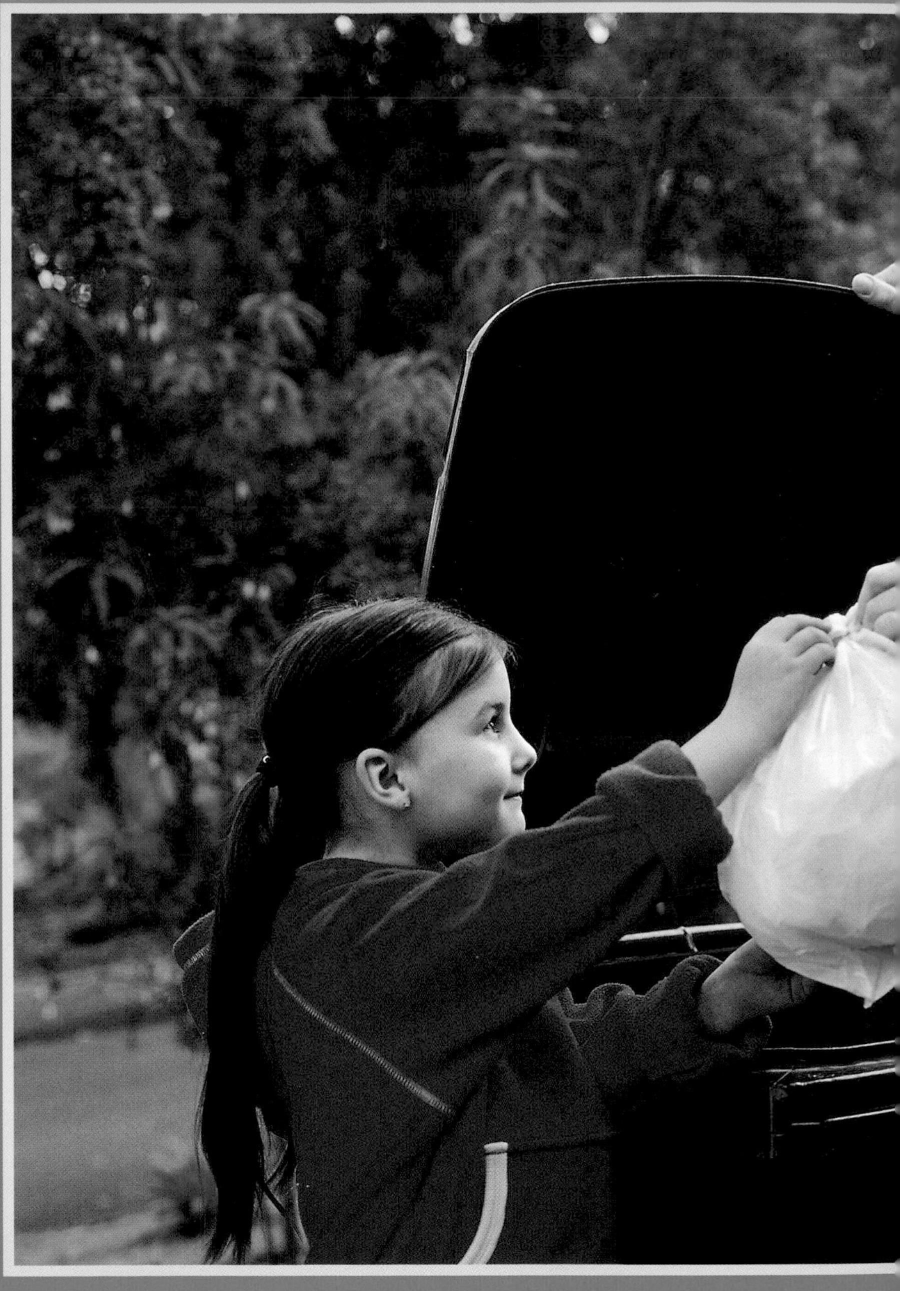

I help my dad.

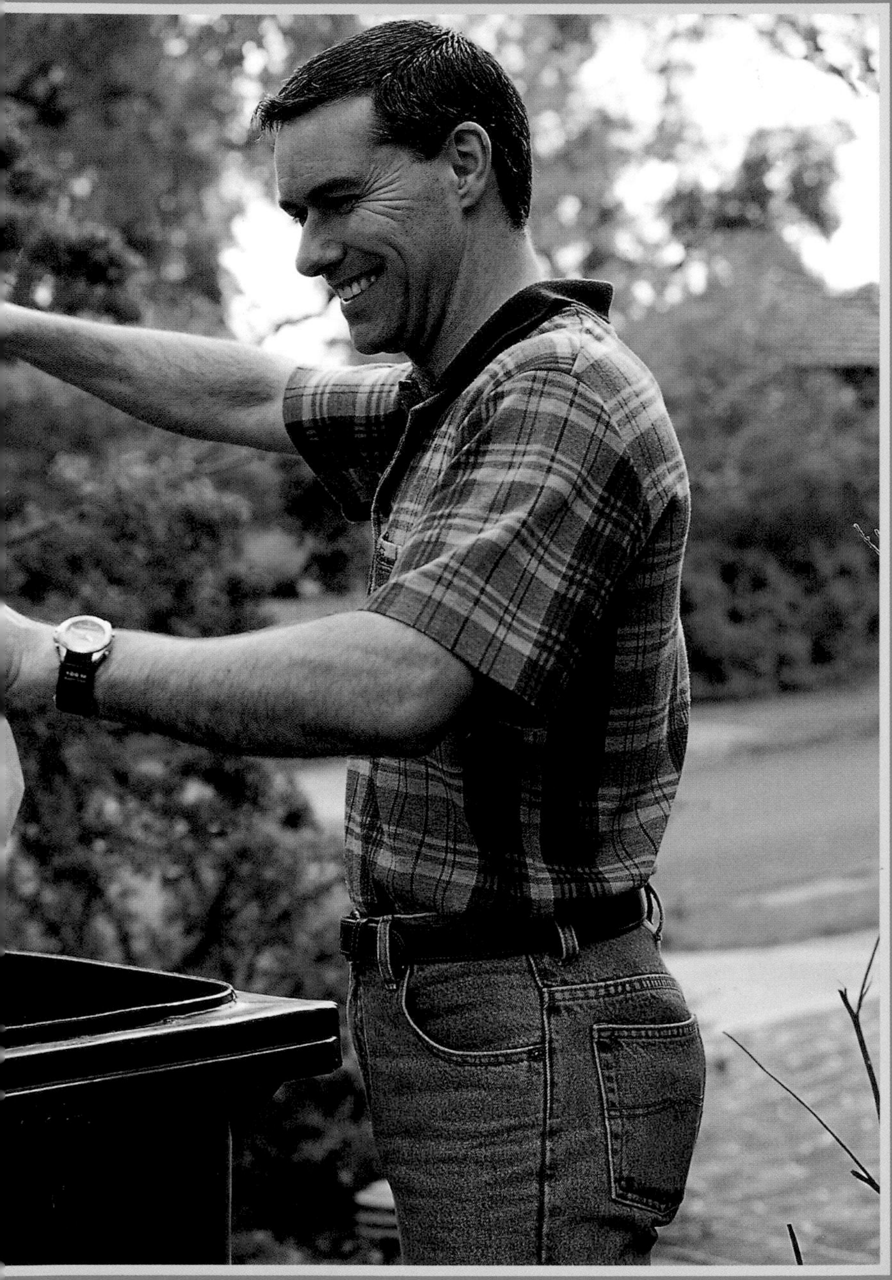

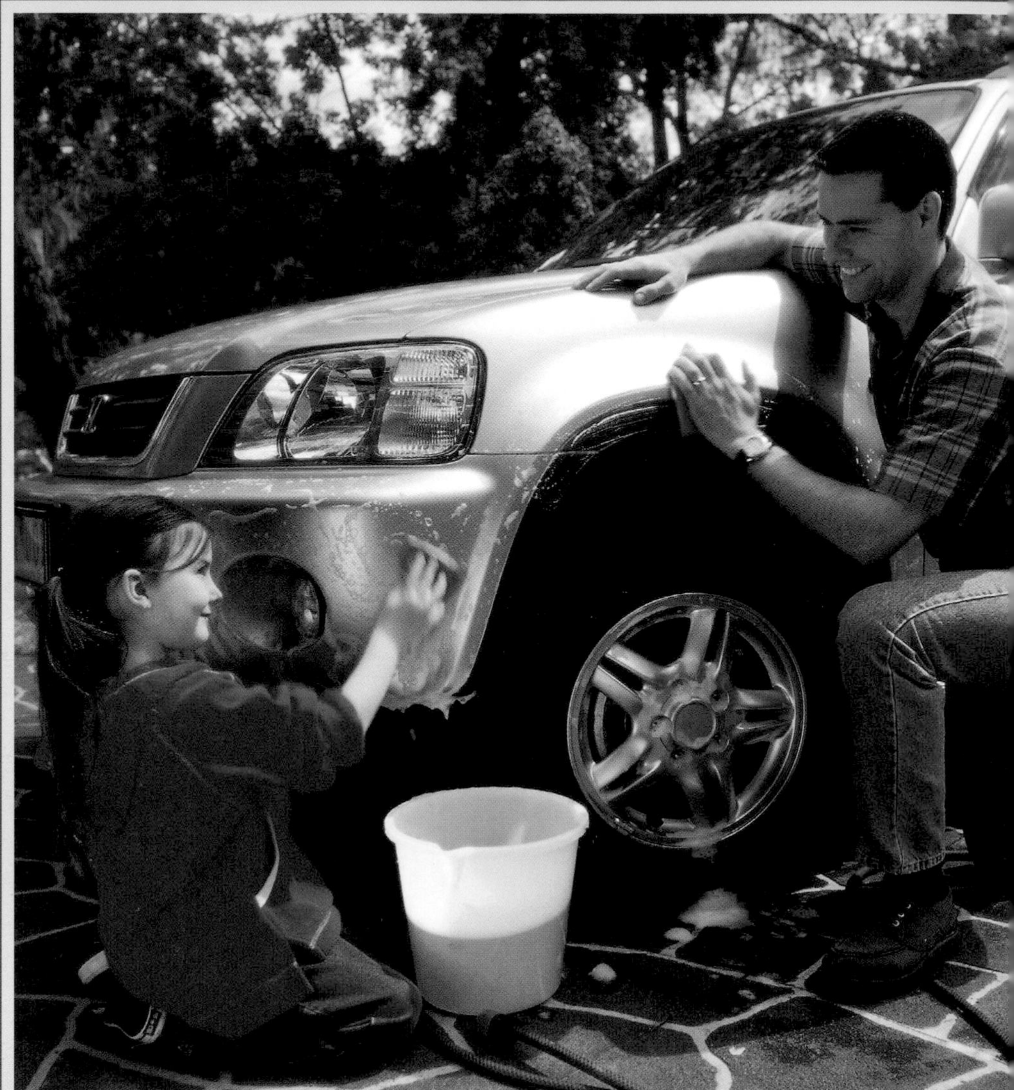

I help my dad.